嗨！大家好！
要不要进我的妙妙屋？
哦！太好了！
我们走吧！

Ooo！我差点忘了，要让妙妙屋出现……
我们必须要念奇妙的咒语
“米斯嘎 木斯嘎 米老鼠”
跟我说一次——“米斯嘎 木斯嘎 米老鼠”
MICKEYMOUSE 就是我

米奇妙妙屋开启
快进来，非常好玩！

米奇
米妮
黛丝
唐老鸭
土豆

高飞
布鲁托
皮特
冯·达克
博士

专家解读妙妙屋

由于幼儿经验少，大人的语言有好多是孩子听不明白的，甚至在教学中教师用自己的语言也有不能够表达明白的东西，而米奇妙妙屋系列产品，使复杂的东西简单化，抽象的概念形象化，枯燥的知识趣味化，学习的过程生活化。尤其是年龄小的孩子，多样性的表现方式和互动方式能够大大地刺激幼儿的感官，使他们的手，脑，眼，耳并用，充分唤起孩子参与活动的兴趣，从而激发幼儿的创造性思维。让孩子的学习活动事半功倍，收到意想不到的效果。

——“米奇探索课堂”活动参与幼儿园
上海建青实验学校幼儿部教师 杨文珺

米奇妙妙屋

互动启蒙 亲子故事

只有一个地球

童趣出版有限公司编译　人民邮电出版社出版
北　京

嗨，大家好！

欢迎来到米奇妙妙屋的地球日庆祝会！

今天的主讲人是冯·达克博士。看，他来了。

“今天，让我们一起为共同的家园——地球庆祝。哦，对不起。那是什么，土豆吗？”冯·达克博士说。

一起来看看土豆为博士带来了什么？

哦，是地球仪。

“啊哈！地球仪是缩小的地球——这非常适合我今天的演讲。谢谢你，土豆。”博士说。

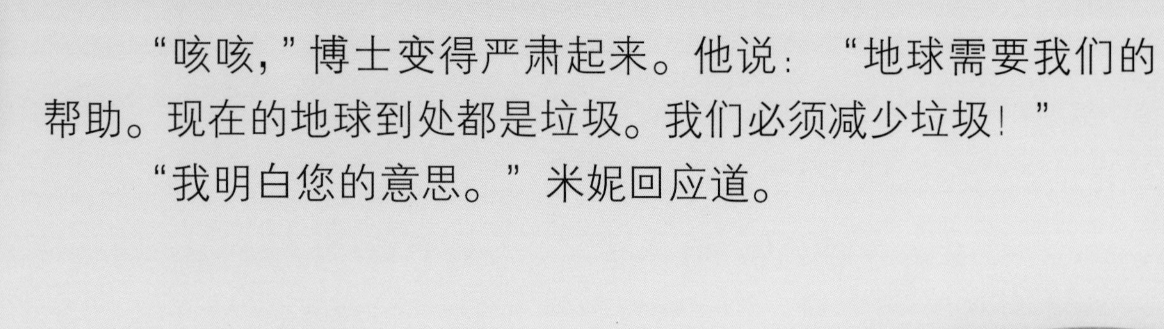

“咳咳，”博士变得严肃起来。他说：“地球需要我们的帮助。现在的地球到处都是垃圾。我们必须减少垃圾！”

“我明白您的意思。”米妮回应道。

米妮解释说:“我在野炊的时候，从来都不使用纸质餐具。我用普通的餐具，用过之后把它们洗干净擦干，下次还可以使用。”“没错，”黛丝说，“我从来不使用纸巾，我用手绢，它们可以重复使用。”

“哦，这些都太麻烦了，”高飞补充说，“我舔一舔手指就可以了。瞧，多方便!”

“嗯，说得没错，”博士说，“这些都是减少垃圾的好方法。正如我刚才说到的……”

这时，克拉贝尔插话了。“我从来不使用塑料的或是纸质的购物袋！在我的店里，客人们都使用布袋子。他们是不是很可爱？”

哞哞市场

哞哞市场

“克拉贝尔，谢谢你，”博士接着说，“还有一种减少垃圾的方法就是学会分享。我来给你们举个例子……”

“玩具！”唐老鸭大声地回答，“我经常和朋友们分享玩具。”

“没错，”皮特说，“有时候，唐老鸭把他的狮子给我玩，我也把我的猴子克莱迪给他玩。”

“你们做得很好，”博士说道，“分享是重复使用的好方法。重复使用还有其他方法，比如……”

“哦，哦，我知道！”这回是皮特说话了。他跳到讲台上说，“我的袜子穿旧了却没有扔掉，我把它们做成玩偶，看到了吗？”“很好，但是……”博士还没有说完话，已经被袜子的臭味熏得晕了过去。

“啊噢，对不起，”皮特说，“我应该先把袜子洗干净，是吗？”

高飞把水浇在了冯·达克博士的身上，博士醒了。

干得不错，高飞！

“呃，水！”博士说道，“地球上的淡水已经严重缺乏。接下来我要说的是……”

“我们要珍惜水资源，”高飞大声说，“我洗澡的速度很快。我用闹钟计时，三分钟以后，闹钟一响，我就洗完了。”

“我刷牙的方法可以节约用水。我先把牙刷蘸湿，在刷牙的时候关紧水龙头。”米奇说。

“汪汪！”布鲁托叫了一声，它也有好方法。

“对了，伙计！布鲁托和巴迟一起洗澡，这样可以节省很多水！”

米妮咯咯笑着说：“富卡罗根本就不洗澡，也节约了不少水！”

冯·达克博士叹了口气，“地球中用来发电的燃料也在不断减少。我想说的是……”

土豆又出现了。土豆带来了什么妙妙工具呢？

答对了，是一个电灯的开关！

“很好，土豆。我刚才说到……”

“随手关灯！”高飞大声地说，“这样可以省电。我以前总是关着灯。现在我知道了，是离开房间的时候要关灯，而不是走进房间的时候。哈哈！”

冯·达克博士接着说道："地球用来发动汽车的燃料也在不断减少，所以我必须告诉你们……"

"共用一辆车！"米妮说。

"骑自行车！"黛丝说。

"用滑板，"高飞说，"真是太帅了！"

没有什么比自己的双脚更好了，哦，对于布鲁托来讲，应该是四只脚。

“太好了，博士，您教会了我们很多知识，谢谢您！”

冯·达克博士总结说：“我从你们的身上也学到了很多。在妙妙屋里，每天都是地球日！”

哈哈，祝大家地球日快乐！

妙妙聪明学

小动物找朋友

我们的地球上生活着许多种类的动物。小朋友，你认识下面这些动物吗？请把同一类的动物连起来，并且说一说它们为什么是同一类。

妙妙聪明学

克拉贝尔的商店

克拉贝尔要把同一类的商品摆在同一层，可是每一层都有一种商品摆错了，请你帮她找出来，并画上圈。

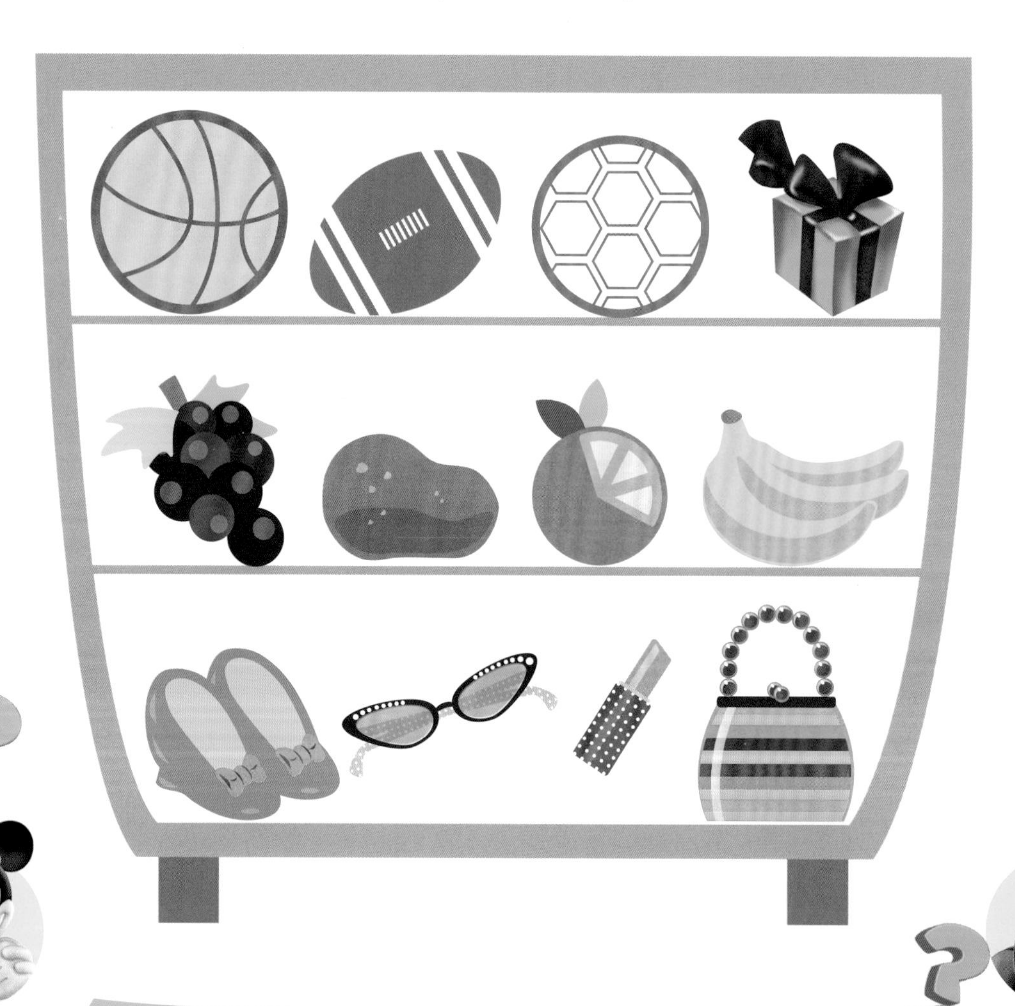

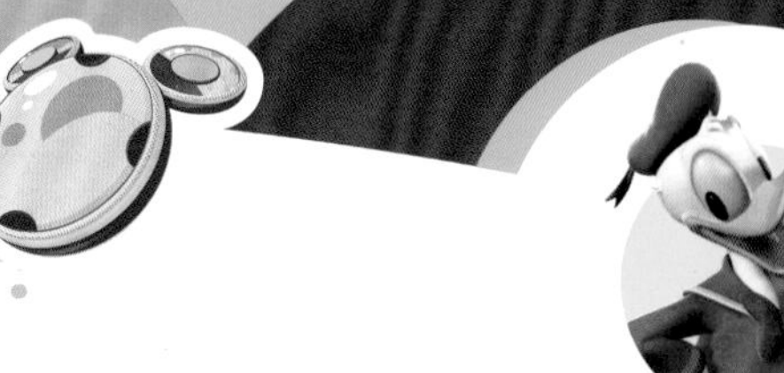

水世界

请你想一想，下面的哪些东西能在水里看到呢？请给它们画"✓"表示出来。

妙妙聪明学

妙妙屋的书房

快来帮忙打扫妙妙屋书房吧。妙妙屋的书桌上多出来一些东西，你能把它们都找出来吗？

米奇妙妙屋

互动启蒙 亲子故事

唐老鸭种南瓜

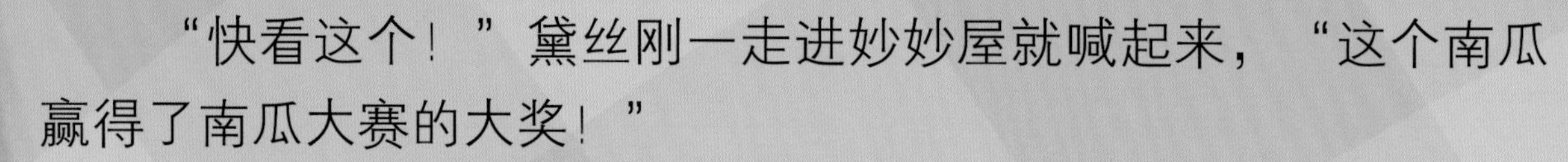

“快看这个！”黛丝刚一走进妙妙屋就喊起来，“这个南瓜赢得了南瓜大赛的大奖！”

“天哪！”米奇感叹着，“好大的一个南瓜！”

南瓜之王

唐老鸭瞥了一眼照片上的南瓜。“哦，没什么了不起的，”他说，“我可以种出一整片的南瓜，结出的果实每一个都比这个大！”唐老鸭一边想象着自己得了南瓜大赛的冠军的样子一边说：“种南瓜很容易嘛。”

#1

第二天，唐老鸭找来了一些南瓜种子，他把种子撒在泥土表面。“啊哈，大功告成了！”唐老鸭拍拍手说。可是米妮却说：“要想结出果实，仅仅这样做是不够的。”

米奇点点头，“首先，我们需要在泥土中挖出一些小洞，把种子放进洞中，然后再用土把洞填平。”

“这可太麻烦了！”唐老鸭说。

“土豆也许能够帮上忙，”米奇说道，“噢，土豆！”

看看土豆带来了什么？跳跳跷、镜子和一头大象。猜猜看它们会有什么用处呢？

“嗯，”唐老鸭思考着，“哪一件妙妙工具能够帮助我们在泥土上挖出小洞呢？”

“应该是这个！”米妮指着跳跳跷说道。

米妮说得没错！跳跳跷为他们挖出了大小合适的洞。唐老鸭在每个小洞里面放上种子，然后再用泥土把小洞填满。

“瞧，我说过种南瓜不是什么难事儿吧，”唐老鸭一边坐下去一边说：“现在我们就等着种子发芽吧！”

“南瓜已经种好了，现在我们可以休息了！”唐老鸭一边说一边闭上眼睛准备休息。米妮说：“要想结出果实，仅仅这样做是不够的。”“菜园还需要浇水，”米奇接着说，“种子需要喝饱水才能发芽。”

“米奇说得没错！”米妮说。

“可是，菜园太大了，我们该怎么浇水呢？”唐老鸭发愁地说。“这可太麻烦了。”

“我们该请土豆来帮忙了。大家一起喊:‘噢，土豆!’”

“这次，我们选择大象来帮忙。”黛丝看着还没有用到的妙妙屋工具。黛丝说得没错。大象先从池塘里吸了满满一鼻子水，然后把水喷到了菜园里面的每一个角落。“做得好，大象先生，谢谢帮忙！”唐老鸭开心地说。

“我说过种南瓜不是什么难事儿吧！”唐老鸭边坐回去边说道。“要想结出果实，仅仅这样做还是不够。”米奇说。唐老鸭有些不明白了，“我们还需要做些什么吗？”

“植物需要阳光，”米妮说，“但是这片菜园的阳光全都被挡住了。”“真是太糟糕了，我们没办法移动阳光！”唐老鸭大声说。“嘿，那可说不定，”米奇说道，“噢，土豆！”

土豆只剩下一件妙妙工具了——镜子。

“一面镜子？”唐老鸭感到很奇怪，“镜子能够帮助我们做什么呢？”小朋友，你能想到镜子的用处吗？

米奇和米妮把镜子放在一个合适的地方，镜子刚好可以将阳光反射到菜园中。

“哦，伙计们，”唐老鸭高兴地说，“这下，我们只需要等着种子发芽了。”黛丝咯咯笑出了声：“现在，我们必须保证菜园有足够的水和阳光。我们还需要精心照料菜园，农场主唐老鸭!”

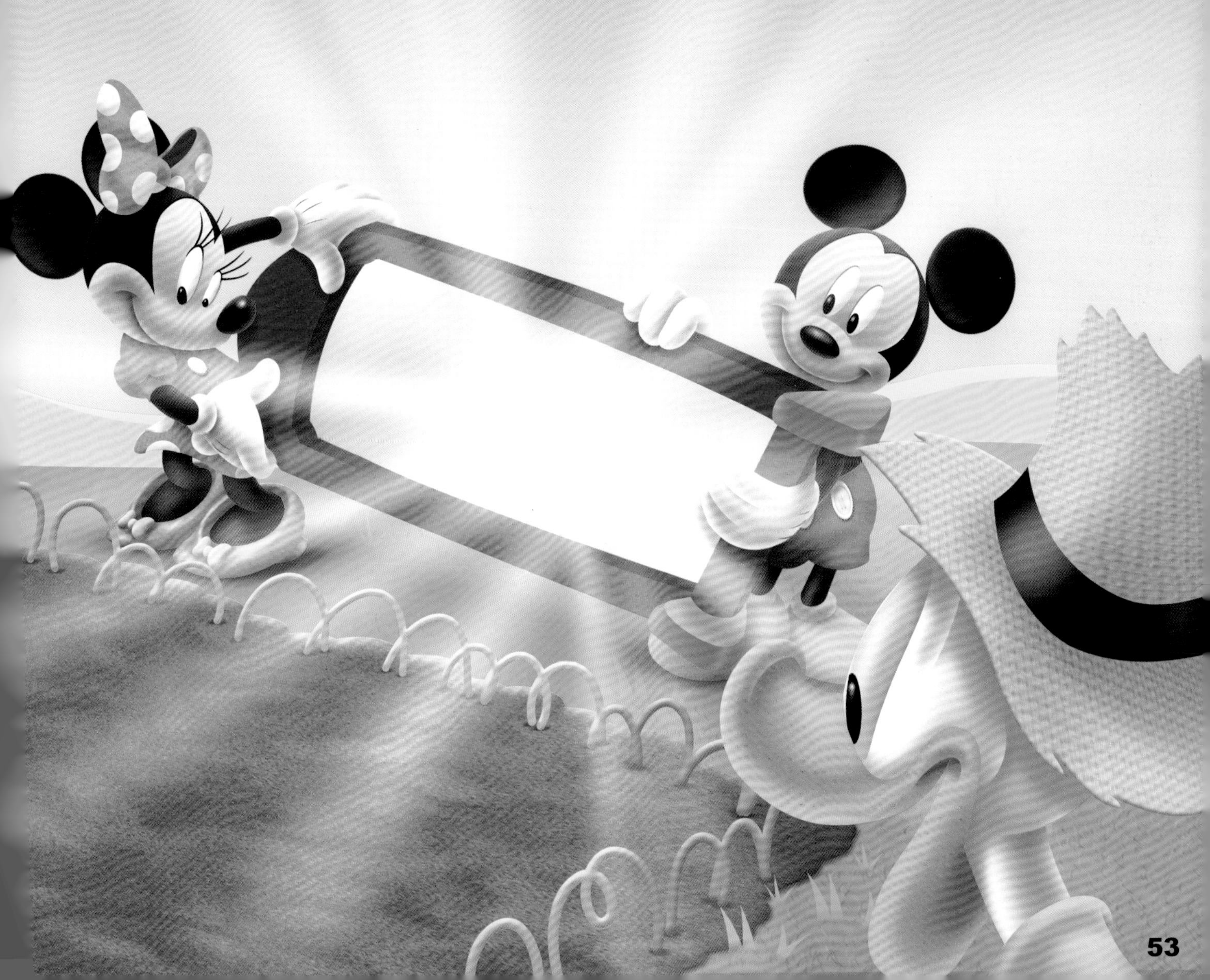

唐老鸭很快发现原来种植并不是一件简单的事情。在随后的几个月里，他非常努力地干活。到了秋天，菜园里长出了好多好多南瓜。唐老鸭从菜地里面摘下了一个最大最漂亮的南瓜，和大家一起向着比赛的地方出发了。

高飞是这次比赛的评委，他走过来，又走过去，仔细地观察大家送来的南瓜。最后，他宣布："此次的南瓜之王是——农场主唐老鸭！""我们真为你感到高兴，唐老鸭！"朋友们兴奋地围着唐老鸭欢呼起来。

"明年我打算参加苹果派大赛。"黛丝说。

"真是个好主意！"唐老鸭大声地说，"明年我要种一大片苹果树，这样你就有足够的苹果去做苹果派了。那一定也非常容易。"

大大小小的南瓜

小朋友，你会写“大”、“中”、“小”吗？一起来学一学吧！

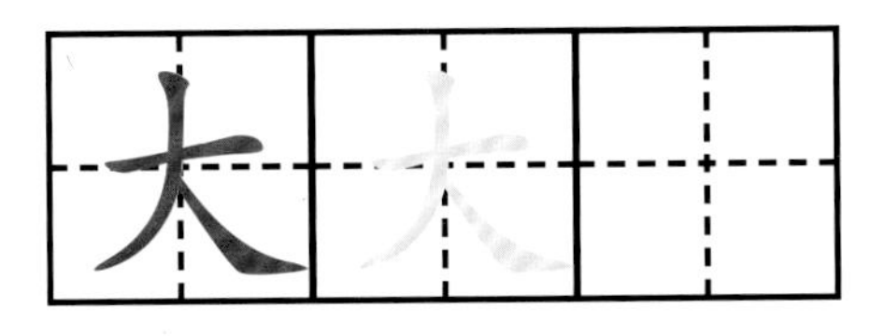

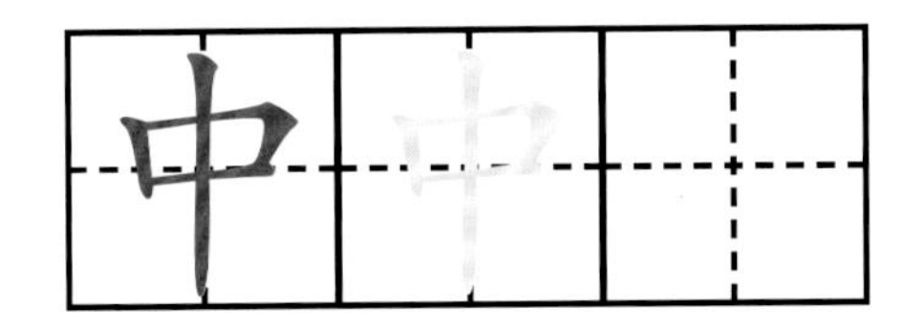

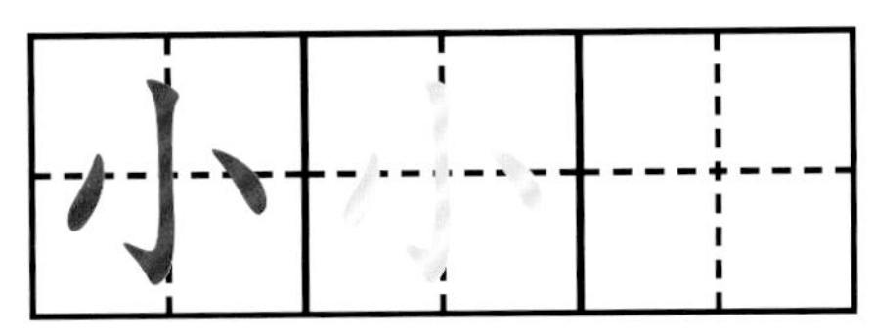

现在，你一定会写了。那么请你来评评哪个南瓜是“南瓜之王”。请在最大的南瓜下面写上“大”，最小的南瓜下面写上“小”，不大不小的南瓜下面写上“中”。

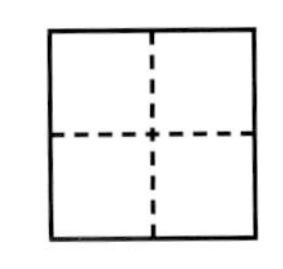
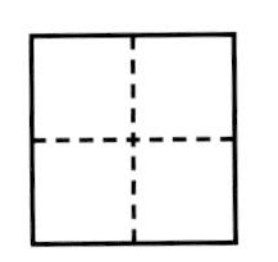
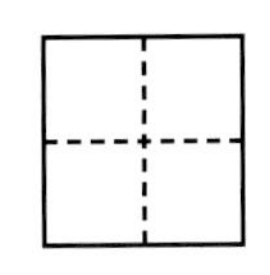

高高低低的树

比一比，这几棵树哪棵树最高，哪棵树最矮？请在比较高的一棵树旁边的○内涂上红色，在矮的树旁边的○内涂上绿色。然后按照从矮到高的顺序在方框内写上1、2、3。

□○ □○ □○

妙妙聪明学

南瓜跷跷板

哇，好大的南瓜啊！请你仔细观察伙伴们玩跷跷板的图，然后比较南瓜、米奇和高飞谁轻谁重。请你在重的一边的○内涂上红色，轻的一边的○内涂上绿色。然后按照从轻到重的顺序在方框里写上1、2、3。

我家孩子每次一学数字就变得不耐烦，可是看“米奇妙妙屋”的时候，就不由自主地跟着米奇一起数数，别看这数字简单，对小不点来说，数字就是奇妙的大课堂呢！

——花虎宝贝

和宝宝一块看米奇，不仅妙妙屋的故事嵌在孩子的心里了，而且也启发了我好多教宝宝的灵感！我最大的感悟就是，教育孩子要注意生活中的点点滴滴，而且一定要用心发现。

——我的小咕噜

年轻妈妈都为教宝贝绞尽脑汁，看了妙妙屋，我才发现其实孩子学习东西，就是要从简单的内容和不断地重复开始。我家豆豆看得可高兴了，没事小嘴就嘀咕着“米斯嘎、木斯嘎”，学得还快。

——豆豆妈妈